W9-BNC-882

L'enseignement mis à mort

Adrien Barrot

L'enseignement mis à mort

Librio

Texte intégral

© E.J.L., 2000

Je dédie ce livre à ceux qui l'ont porté de bout en bout. Pour Diane, Jean-Pierre et Béatrice.

*Tous les hommes ont, par nature,
le désir de connaître.*

ARISTOTE, *Métaphysique*, A. 980a

En écrivant ces quelques lignes dans l'urgence et tenaillé par une profonde inquiétude, je me rends compte que je nourris pour elles une ambition un peu folle. Je souhaite que ce texte très court puisse atteindre les lecteurs, *tous* les lecteurs, en quelque sorte à bout portant, et qu'il soit en même temps assez substantiel pour donner matière à une véritable réflexion, dont il ne peut être davantage qu'une esquisse. Je voudrais communiquer à ces lignes assez de force pour provoquer un réveil de notre conscience politique, et alimenter une interrogation dont je ne vois pas qu'elle puisse ni qu'elle doive s'achever. J'écris parce qu'il m'est impossible de ne pas le faire.

Si je ne m'adresse pas exclusivement à mes collègues, c'est comme un des leurs que j'élève aujourd'hui la voix. Ce qu'il en adviendra, je l'ignore bien sûr. Rien, peut-être. Mais il y a une chose dont j'ai la certitude. Je le dis sans détour, même si cela doit sembler extra-vagant : un parmi tant d'autres professeurs, je *sais* qu'une immense majorité d'entre eux se reconnaîtra fondamentalement dans ce que j'écris, et c'est la raison pour laquelle je ne peux pas imaginer que cela restera lettre morte.

Je préfère avouer tout de suite que je suis non seulement professeur de philosophie en classe de terminale dans l'enseignement secondaire, mais aussi ancien élève de l'École normale supérieure et agrégé de philosophie. Sans doute se trouvera-t-il des hommes éclairés pour y voir matière à destitution. Je suis très loin de considérer ces titres comme une garantie d'infaillibilité. Le fait est simplement que j'enseigne et que j'ai eu la chance de pouvoir mener à bien des études fort difficiles pour cela. Cela ne fait pas de moi un oracle, mais je ne vois pas pourquoi il faudrait estimer que cette expérience disqualifie *a priori* ce qu'il m'a été donné de penser de l'enseignement.

Au reste, on ne trouvera pas trace ici d'une volonté de retour en arrière, à l'école républicaine de Jules Ferry par exemple. Mon propos est en un sens beaucoup plus simple : je dis qu'il faut qu'une école existe, qu'il s'agit d'une nécessité humaine, que l'imposture a pris des proportions désormais intolérables et, à bien réfléchir, terrifiantes. Si rien ne devait se produire, s'il ne devait se produire et s'instituer que l'enseignement du néant, j'aurais alors au moins la satisfaction d'avoir tenté d'articuler les derniers mots du condamné avant le coup de grâce.

On n'a pas idée de ce que peut être aujour-d'hui la sidérante solitude des professeurs. Cette solitude n'a rien à voir avec celle qu'il appartient à l'institution de leur ménager et de leur garantir dans la pratique même de leur enseignement, afin d'en soutenir l'indé-pendance. Non, il s'agit là d'une chose d'un tout autre ordre, d'un abandon dont les pro-fesseurs eux-mêmes n'osent pas sonder les abîmes. Qu'il y ait quelque chose de tragique, ou pire encore, dans cet isolement, les condi-tions mêmes dans lesquelles la mise à l'écart de Claude Allègre a eu lieu peuvent nous en donner un aperçu. En remplaçant Claude Allègre par Jack Lang, je crains que notre Premier ministre n'ait que très partiellement livré le sens de cette substitution. Car nous avons assisté, de fait, à une troublante répar-tition des tâches. À l'hôtel Matignon, l'ouver-ture, l'écoute et la compréhension : « C'était un regrettable malentendu, une simple que-relle de méthode, de style, de personne. Voyez comme nous vous avons entendus. »

Dans les journaux, sur les radios, à la télévision, c'était un autre son de cloche : chacun de déplorer et de dénoncer, avec des accents vengeurs, l'inacceptable immobilisme corporatiste des professeurs, accusés de creuser la tombe de l'Éducation nationale. Dans ce concert, c'est tout juste si l'on trouvait encore un mot, une fugace et réticente inflexion, pour regretter les « maladresses » que l'ancien ministre avait pu commettre, au service toutefois d'une juste cause dont il était présenté comme le dernier martyr : celle de la réforme. Nous devons par conséquent nous attendre à ce qu'un fossoyeur infatigable et zélé de l'enseignement soit demain canonisé pour avoir tenté de le sauver *contre les professeurs*.

Au « je vous ai compris » du gouvernement répondait ainsi, en complément, le « on vous aura prévenus » des médias de toutes formes et de toutes obédiences. Voici donc, dans son intégralité, le message que notre pays, par la voix de ses autorités les plus puissantes, adresse en définitive aux professeurs : vous avez obtenu le départ de Claude Allègre, qui a pu commettre quelques erreurs de communication, cela *doit* vous suffire. Désormais, vous êtes tout seuls. Absolument seuls. Plus personne ne comprendra que vous vous acharniez à ne pas mourir. Vous mourrez donc tranquillement, avec résignation, avec

le sourire et les soins palliatifs que vos syndicats nous réclament et que nous vous dispen-
serons, vous mourrez en musique, mais vous
mourrez. En fait, vous êtes déjà morts : place
aux jeunes.

On le voit bien à présent : rien n'aura été plus fatal aux professeurs que la personnalisation du conflit dans laquelle ils se sont laissé enfermer. Pouvaient-ils échapper à ce piège ? Je ne le sais pas, mais il est clair aujourd'hui que les aspects les plus ubuesques du comportement de Claude Allègre ont été, et demeurent, après son départ, l'atout le plus paradoxal de la politique qu'il avait reçu pour mission de promouvoir, et dont le flambeau est passé aux mains de son successeur. Comment en sommes-nous arrivés là ? Rappelons pour commencer que lorsque Claude Allègre a pris possession de la rue de Grenelle, les professeurs étaient *déjà* profondément abattus par la crise de l'enseignement dont ils subissent les effets depuis des années. Ils ont d'abord été brusquement paralysés, non seulement par la violence et par la déloyauté des attaques répétées dont ils étaient l'objet, émanant de leur ministre, mais aussi par l'indignation et par la rage qui les a submergés. Ce fut précisément, si je puis dire, la goutte d'eau qui empêcha dans un premier temps le vase de déborder. Habileté politique, ou effet secondaire et imprévu d'un tempérament impulsif, peu importe : le résultat, c'est que la réaction des professeurs s'est focalisée sur la personne du ministre et non sur les idées qu'il incarnait. C'était une situation absolument suffocante. Voilà pourquoi, en partie du moins, ils ont eu tant de peine à manifester autre chose qu'un rejet viscéral, symptôme du « malaise enseignant », de la « grogne » dont parlaient élégamment les journaux, en général d'ailleurs pour leur faire dire n'importe quoi.

Mais ce n'est malheureusement pas la seule explication de cette période d'inertie convulsive. Au moment même où ils étaient ainsi tétanisés, les professeurs faisaient l'amère expérience de la défaillance complète de leurs syndicats. Eux seuls avaient les moyens matériels de mobilisation nécessaires. Eux seuls étaient susceptibles d'organiser, d'encadrer et de conduire une mobilisation d'ampleur nationale. Or, en dépit de la déferlante d'occasions qui s'offraient à eux, ils ont incroyablement tardé à le faire. Précisons qu'on ne peut expliquer leur paralysie initiale par les raisons que j'invoquais il y a un instant au sujet des professeurs. Car les syndicats disposent en tant que tels du recul qui aurait dû leur permettre d'articuler politiquement et *en raison* la colère dont les professeurs étaient captifs. C'est dire combien les imprécations de tout bord contre la puissance corporatiste du syndicalisme enseignant, en la circonstance, portaient à faux puisque loin de réagir avec la détermination et la lucidité requises, les syndicats ont plutôt fait preuve d'une singulière complaisance.

Je parle des syndicats, mais c'est évidemment au SNES que l'on doit en l'occurrence imputer la responsabilité la plus lourde, parce qu'il demeure le syndicat le plus puissant dans l'enseignement secondaire. Il serait d'autre part, et à l'inverse, tout aussi erroné d'accorder aux syndicats en général et au SNES en particulier les circonstances atténuantes, en arguant de leur affaiblissement. On verserait alors des larmes sur le désengagement, la désaffection syndicale des professeurs. Mais si le syndicalisme enseignant s'est bel et bien affaibli, si le SNES en particulier a perdu du terrain, c'est d'abord parce que le syndicalisme enseignant s'est *discrédité* auprès des professeurs. Et cela pour une raison très simple, que les récents atermoiements syndicaux ont étalée au grand jour : dans ses composantes majoritaires, le syndicalisme enseignant s'est révélé toujours plus incapable d'envisager l'enseignement, et la crise de l'enseignement, autrement que sous les espèces d'une simple question de moyens, et de soutenir les professeurs pour défendre autre chose que leurs intérêts catégoriels au sens le plus restrictif du terme.

Cependant, pour évidente que soit l'impéritie de nos syndicats, il ne faudrait pas en déduire que la question des moyens à mettre en œuvre dans l'Éducation nationale ne se pose pas, et je voudrais moins encore laisser entendre que les professeurs n'ont aucun intérêt catégoriel légitime à défendre. Ce sont même des questions que l'on peut à bon droit considérer comme essentielles, mais elles ne le sont effectivement qu'à partir de l'idée que l'on se fait d'abord de la *substance* et des *principes* de l'enseignement. Or sur ce point crucial, la vérité est que le syndicalisme enseignant, SNES inclus, partage largement les présupposés *pédagogiques* décisifs de la politique à la survie de laquelle le gouvernement a finalement sacrifié Claude Allègre. La vérité, c'est donc que le syndicalisme enseignant s'est affaibli parce que, loin de se montrer à la mesure de la crise de l'enseignement, il s'en est rendu complice. Le sursaut dont ont fait preuve les syndicats sous la pression d'une base à bout de patience et qui s'est soldé par la mise à l'écart de Claude Allègre était par conséquent contraint et ambigu. Il ne se serait pas produit si les professeurs n'avaient pas commencé à secouer leur paralysie, à identifier, à articuler les raisons de leur colère, à s'affranchir de celle-ci, bref, à sortir de leur isolement. En écartant Claude Allègre avant que les professeurs aient pu s'affranchir totalement de la personnalisation du conflit, le chef du gouvernement a sans doute sauvé l'essentiel à ses yeux, à savoir sa réforme de l'enseignement, qui passera dans l'école non plus comme on passe un mutin par les armes, mais comme un goutte-à-goutte, un assassinat sous narcose. Devant cette habile dilution de la réforme, les professeurs, vainqueurs apparents et illusoires du conflit, sont plus isolés que jamais.

Nous avons donc eu le spectacle navrant d'une collusion objective entre le gouvernement et les syndicats. Car il fallait agir vite, éviter à tout prix que les professeurs puissent comprendre et dire clairement ce qu'ils vivent depuis de longues années. Il me semble en effet que le cœur du problème est là : les professeurs ne comprennent pas ce qui leur arrive. Ils éprouvent des choses, notamment un lourd ressentiment à l'égard de leur ancien ministre, de la méfiance ou de la rancœur à l'égard de leurs syndicats, un désarroi profond, qui peut aller jusqu'à la détresse, dans l'exercice même de leur métier, mais ils ne comprennent pas ce qui leur arrive. Pour parler comme Spinoza, ils ont conscience de leurs affections, mais ils sont ignorants des causes qui les déterminent.

À vrai dire, ce dont les professeurs ont fondamentalement conscience, une conscience qui s'aiguise et les blesse chaque jour un peu plus, c'est qu'il leur est devenu, au fil des années, de plus en plus difficile d'enseigner ; c'est même qu'il leur est devenu, au fil des années, de plus en plus souvent *impossible* d'enseigner : impossible, tout simplement, de *faire* leur métier. Cela, ils l'éprouvent, ils le vivent jour après jour, heure après heure, classe après classe, depuis des années, et toujours davantage. Le mal, la douleur et la colère qui se sont exprimés avec tant d'acuité mais d'une manière et dans des termes encore confus et maladroits viennent donc de plus loin, et n'ont pas commencé avec l'arrivée de Claude Allègre au ministère de l'Éducation nationale. Et pourtant, quelque chose avait suffisamment changé avec Claude Allègre pour qu'on s'en saisisse comme d'une chance, une dernière chance d'inverser la tendance avant que tout soit fini, parce qu'avec ce changement, ce qui était jusque-là seulement éprouvé, et qui n'est pour l'instant qu'éprouvé plus douloureusement encore, aurait pu enfin être *compris*. Il fallait simplement faire l'effort d'entendre ce qui se trahissait, ou plutôt ce qui *s'avouait* dans la franchise d'une brutalité inouïe de notre ancien ministre. Les déclarations de Claude Allègre donnaient la clef de ce qui, depuis longtemps, et aujourd'hui encore, est décrit comme le « malaise enseignant », et par conséquent de ce qui, demain, peut devenir la révolte enseignante. La clef, oui, la véritable clef de l'énigme, l'aveu incroyable de Claude Allègre, c'est qu'il est désormais formellement *interdit* d'enseigner, *c'est que l'enseignement est interdit*, c'est qu'il est interdit aux élèves d'être des élèves, aux professeurs d'être des professeurs, aux établissements publics d'enseignement d'être des établissements d'enseignement.

Je sais à quel point cela peut paraître fou, et j'en suis moi-même abasourdi, mais c'est le sens exact des propos et des actes de notre ministre. Dès son arrivée rue de Grenelle, Claude Allègre donnait le ton. En stigmatisant l'absentéisme des professeurs, il désignait publiquement ces derniers à la vindicte, en laissant entendre que l'école avait plus que jamais besoin de leur présence. Mais maintenant, et à la lumière des commentaires éplorés qui circulent autour de son départ, nous comprenons le sinistre renversement ourdi dans cette attaque. Claude Allègre, sous couvert de dénoncer l'absentéisme des professeurs, n'était en fait que l'impudent porte-parole d'une société qui a totalement abandonné l'école, et qui ne supporte en conséquence même plus qu'il s'y trouve *encore* des professeurs. Car ce ne sont pas les professeurs qui s'absentent, mais l'école, où ils avaient leur place et leur rôle, pour ne pas dire leur mission, qui s'est absentée d'eux, parce que notre société n'en veut plus. Et c'est la raison pour laquelle les professeurs n'ont plus, sur les lieux mêmes de leur travail, qu'une existence spectrale, irréelle ou déréalisante. Dans un tel climat, ce qui est remarquable, ce n'est pas que quelques professeurs soient absents parce qu'ils tombent malades, c'est qu'ils ne soient pas encore tous tombés malades.

Il faut le dire : ce qui a rendu en quelques dizaines d'années notre travail si difficile, ce qui a fini par le rendre si souvent impossible, ce qui a fait de l'école ce théâtre d'ombres, ce royaume du mensonge, ce mirage que les professeurs connaissent tous aujourd'hui où qu'ils enseignent, ce n'est pas la massification de l'enseignement, comme on le radote, c'est un long processus de *destitution* de l'enseignement qui culmine à présent et se parachève dans une interdiction formelle d'enseigner. Telle est la vraie cause, la seule cause du « malaise enseignant ». La vérité, c'est que l'enseignement ne s'est pas démocratisé, mais que nous avons pris le chemin plus court et plus efficace de sa suppression pure et simple. Malaise dans l'enseignement ? C'est décidément un euphémisme bien utile, quand il s'agit d'escamoter cette encombrante suppression.

Dans les annonces d'objectifs faramineux, dans les communiqués de victoire triomphants qui ont jalonné toutes ces années, et que le défunt ministère n'a fait que multiplier dans des proportions certes ahurissantes, comment ne pas rétrospectivement voir une stupéfiante résurrection de la propagande la plus éhontée dans un pays qui s'est réjoui de la chute du mur de Berlin ! Quand on pense qu'il s'est trouvé, qu'il se trouve plus que jamais des gens pour créditer notre ancien ministre d'une rupture salutaire avec la langue de bois, on est pris de vertige devant ce phénomène, et l'on voudrait pouvoir s'exclamer, avec les accents de Pascal : que l'homme se perde dans cette pensée ! Oui, il faut s'y perdre désormais, et nous ne devons pas avoir peur de sombrer, même dans le ridicule, en lançant un dernier appel au nom de tous ceux qui pensent encore qu'il y avait quelque chose d'irréductiblement juste dans la « splendide promesse faite au tiers-état », même si ce n'est plus qu'une épitaphe, une cérémonie funèbre, quelques mots jetés à la hâte et clandestinement sur une tombe. Arrêtons donc un instant de juger avec arrogance les mensonges du socialisme réel, et penchons-nous sur nos propres mensonges et sur notre trahison.

Il est encore temps d'écouter les paroles du Grand Timonier martyr de l'Éducation nationale pour mesurer ce que sera, tel qu'il nous l'a dépeint, le grand bond en avant dans l'école du XXIᵉ siècle. J'avoue que je ne comprends pas comment on peut ne pas être écœuré par l'avalanche de slogans littéralement orwelliens déversés en si peu de temps par la rue de Grenelle : la rentrée à zéro défaut, le Lycée du XXIᵉ siècle, l'École du respect, l'enfant au centre de l'espace éducatif, la professionnalisation du métier d'enseignant, etc. Non, je ne comprends pas que l'on ne soit pas épouvanté par l'ignominie, la sottise, l'escroquerie grotesque et proprement hallucinante que tous ces mots recouvrent et découvrent à la fois. Mais on me reprochera d'affirmer, d'asséner sans prouver, sans même argumenter. Écoutons donc la voix qui s'est fait entendre à travers celle de notre ministre.

Parmi tant de choses lues et entendues, je demeure hanté par un entretien accordé au journal *Le Monde* en novembre dernier par Claude Allègre. Dans un passage de cet entretien, que je cite ici en vérifiant mes sources, notre ministre avait la franchise effrayante de nous dire ceci, qui dit tout : « Il y a dans l'enseignement une tendance archaïque que l'on peut résumer ainsi : "Ils ont qu'à m'écouter, c'est moi qui sais." » Et Claude Allègre d'ajouter : « Sauf que c'est fini. Les jeunes (et même les très jeunes) n'en veulent plus. » Et pour couronner l'avertissement : « Ce qu'ils veulent, c'est inter-réagir. » La seule manière de m'arracher à la sidération que provoque en moi la lecture de ces propos, c'est d'en proposer une explication, oui, une explication de texte. Car il faut absolument comprendre ce que cela veut dire, ce que cela *dit*.

Il y a d'abord l'inconcevable infantilisme – comment l'appeler autrement ? – de la présentation qui nous est donnée de l'enseignement dit « archaïque » : « Ils ont qu'à m'écouter, c'est moi qui sais ». Le discours professoral est réduit à l'arbitraire à la fois risible, absurde et illégitime d'une instance de parole totalement subjective. La figure du professeur qui exige le silence et l'écoute de ses élèves est assimilée, je ne dirais pas à celle d'un sergent instructeur, mais à celle d'un meneur de bande de gamins dans une cour de récréation. Seul un homme qui pense, au nom de toute une société qui le laisse dire, qu'il n'y a rien à apprendre, peut se faire une telle idée du discours professoral. Car s'il n'y a rien à apprendre, si les professeurs ne savent rien, ne connaissent rien, s'il n'y a par conséquent *rien à transmettre*, c'est la parole professorale, l'autorité professorale en elle-même, qui deviennent non seulement superflues, mais complètement abusives, et les élèves n'ont effectivement aucune raison de l'écouter, moins encore de s'y plier, et surtout pas le devoir de le faire. Mais il n'y a plus à ce compte ni professeurs, ni élèves, ni enseignement. Ce qui est révoltant, c'est que l'homme qui dit cela est, dit-on, un savant, un professeur, et qu'il était le ministre, le premier serviteur de l'Éducation nationale. L'enseignement se trouve ainsi réduit à une relation totalement intersubjective. Les professeurs et les élèves sont condamnés, par les soins d'une abstraction délirante, à leur pure subjectivité. Il n'y a plus à l'école que des « moi » qui disent « je », et l'on ne voit pas alors à quel titre un de ces « moi » serait fondé à le dire plus qu'un autre. J'ai beau chercher à comprendre comment un homme simplement en possession de son bon sens pourrait penser une chose pareille et tenir de tels propos, cela m'échappe.

Je sais bien que le simulacre d'école que notre société est en train de mettre en place sur les décombres de l'école de l'autorité *et* de l'émancipation est celle que Claude Allègre et son *brain trust* appellent « l'école du respect ». Bien entendu, ce slogan se présente comme une réponse à l'irruption des actes de violence pure qui défraient périodiquement et de plus en plus fréquemment la chronique de l'école. Mais on aurait tort de penser qu'il s'agit d'instaurer ou de restaurer les conditions d'une protection de l'intégrité physique des élèves et des professeurs. On veut en finir avec la violence, certes, mais laquelle ? La réponse est contenue dans le message adressé aux « acteurs » de l'école par notre ministre : « Il faut que les élèves respectent les professeurs et que les professeurs respectent les élèves. » Ce message de réciprocité ne fait que reprendre, en l'investissant d'une autorité publique, la *vulgate* sociologique et psychologique dominante, en vertu de laquelle on ne peut comprendre la violence *dans* l'école qu'à la lumière de la violence *de* l'école, en tant que telle.

Ainsi, la violence physique qui se fait jour dans l'école aurait pour origine première la violence symbolique mais non moins réelle et tout aussi intolérable de l'institution. En réalité, on ne peut tenir cet équilibre et cette réciprocité jusqu'au bout puisque la violence symbolique est première. Si l'on veut résorber celle qui lui répond, et qui, pour fâcheuse qu'elle soit dans ses conséquences, est néanmoins bien compréhensible, il faut d'abord et surtout résorber celle qui la déclenche. Comme les professeurs sont ses principaux agents, ils doivent être empêchés de nuire. En somme, il faut en finir avec l'insupportable violence symbolique de l'enseignement. Le problème n'est donc pas, comme on voudrait nous le faire croire, qu'il existe simplement une minorité de professeurs qui abusent de leur autorité, et qu'il faudrait effectivement sanctionner sans faiblesse, mais que l'autorité des professeurs est en elle-même abusive et intolérable.

Refusons enfin ces misérables sophismes, et que les sociologues et les psychologues les refusent avec nous. Car nous devons à tout prix le reconnaître : la capacité de parler à la première personne, de dire « je », pour donnée qu'elle soit à chacun d'entre nous, doit nécessairement être instituée, faute de quoi elle est en effet condamnée à se limiter à l'usage d'une pure fonction grammaticale vide de toute substance, ou plutôt pleine des conventions et des lieux communs les plus éculés, fatalement reproduits sans la plus petite once de distance. Il ne fait aucun doute que cela requiert un effort bien réel et difficile, mais assimiler sans autre forme de procès cet effort à une violence, comme s'il n'était *que* douloureux, ne peut conduire qu'à désarmer l'esprit en le livrant à la toute-puissance de la pression sociale.

Il faut donc absolument qu'on le comprenne : lorsque je suis professeur, lorsque je m'adresse en tant que professeur à des élèves en tant que tels, ce n'est pas « moi » qui m'adresse simplement à eux, et ce n'est pas simplement à leur « moi » que ce discours s'adresse. Ce n'est pas moi qui parle, mais le *professeur* que je suis, au moment précis et dans les circonstances précises où je parle, et le silence que cette parole réclame des élèves est un silence qui s'impose d'abord à moi qui leur parle. Le silence que le professeur impose d'abord *au bavardage de son propre moi* est cela même qui l'institue professeur, qui libère et légitime sa parole. Et c'est cette exigence qui constitue le fondement du droit imprescriptible des professeurs au silence et à l'écoute de leurs élèves. Autrement dit, et j'y reviendrai plus loin, il suffit de rappeler qu'il n'y a d'enseignement que s'il existe un *contenu* de l'enseignement. C'est bien cela que nous voulons réduire à néant en laissant dire qu'il s'agit seulement d'une conception « archaïque » de l'enseignement.

« Archaïque » : tout est dit. Dans la bouche du ministre, il est clair en effet que cet adjectif équivalait à un certificat de décès. Or, ce qui est consternant, c'est que ce mot même, qu'il brandit contre les professeurs comme un signe d'infamie, devrait être au contraire pour leur enseignement le meilleur des sauf-conduits. Sommes-nous devenus incapables de le comprendre ? Sommes-nous tous des disciples du pharmacien Homais, ayant dépassé leur maître de cent coudées, pour nous complaire dans un provincialisme moderne aussi forcené ? Il le semble bien, et notre amnésie est donc telle qu'il faut que nous rappelions à notre ancien ministre, que nous nous rappelions à nous-mêmes la valeur de l'archaïsme enseignant. Si la conception de l'enseignement que Claude Allègre voulait voir morte sous ses yeux, au nom d'une société qu'elle entrave dans sa marche triomphale, est encore et toujours et malgré tout vivante, survivante, si l'on peut espérer qu'elle nous survivra, tant du moins que nous ne serons pas parvenus à arracher à l'humanité ses ressources les plus profondes, c'est précisément parce qu'elle est archaïque, c'est-à-dire au plus haut point essentielle à la chose même qu'elle détermine si adéquatement.

Arché, en grec, signifie à la fois principe, origine, point de départ, commencement, autorité et commandement. Alors oui, la conception de l'enseignement dont on se rit avec un mépris irresponsable, qui condamne notre temps, est bien archaïque, mais non parce qu'elle est mourante : parce qu'elle commande et détermine de part en part l'intelligence de ce qu'est essentiellement l'enseignement dans son principe. On comprend, par la même occasion, et pour ainsi dire sur le fait, pourquoi il importe tant de fabriquer hypocritement les conditions dans lesquelles non seulement l'apprentissage du grec et du latin sera impossible, mais le souvenir même de leur existence sera effacé de l'école à jamais.

Croyant appuyer son propos par un argument incontestable, le ministre de l'Éducation nationale ajoutait : « Les jeunes (et même les très jeunes) n'en veulent plus. » Ce n'était pas facile, mais nous pouvions encore, il y a un instant, essayer de rire nous-mêmes, et d'exorciser par ce rire une suffisance grotesque. Mais ici, le rire s'étrangle. L'atmosphère devient irrespirable. Il ne nous reste plus que la stupeur. Non, je n'exagère pas. Non, ma réaction n'est pas irrationnelle. Ce sont plutôt les dernières larmes de la raison que je veux verser. Quitte à y perdre tout espoir, il nous faut méditer cette phrase, dont on ne parvient pas à croire qu'elle a vraiment pu être dite, et assumée : « Les jeunes (et même les très jeunes) n'en veulent plus. » Cette phrase, que personne n'a relevée publiquement, je ne connais pas un seul professeur sachant encore ce qu'il fait, ou plutôt ce qu'il est empêché de faire, et qu'on veut définitivement lui interdire de faire, je ne connais pas même un seul adulte sensé – mais où sont-ils ? – qui pourrait la *pardonner* à notre ancien ministre.

Ce constat, cette réalité ainsi opposée à la persévérance de notre archaïsme, nous nous y heurtons tristement, chaque jour, dans nos classes : *ils* n'écoutent plus. Admettons-le : on est encore très loin de la réalité, on se voile la face, on maquille la catastrophe en légère turbulence si, comme on le fait trop souvent, on relève seulement chez nos élèves un problème de concentration, une difficulté croissante à maintenir en éveil leur attention sur une longue durée, une présence de plus en plus sporadique et volatile. Non, il faut avoir l'honnêteté et le courage de le dire nettement – car que dire, lorsque l'écoute est devenue l'exception, le bavardage la règle ? – ils n'écoutent plus... *du tout*. Mais on s'égare tout autant si, comme on le fait également, on impute cette déroute à une surcharge insupportable des programmes et des emplois du temps, si l'on s'émeut à la vue du surmenage que l'on inflige aux élèves : comme si l'on envoyait aujourd'hui les enfants à l'école comme on les envoyait à la mine il y a un siècle.

On s'égare, mais on se rapproche par là même de la folie bien réelle de notre temps.

Car à bien y réfléchir, cette explication tou-
chante laisse déjà entendre que l'inattention
de nos élèves ne peut plus être considérée
comme une faute ou comme une défaillance,
mais qu'elle n'est après tout que justice. Un
pas de plus, et la recherche des causes d'une
infirmité devient la célébration lyrique d'une
vertu. Ce pas, Claude Allègre l'a franchi, il l'a
pour ainsi dire *brûlé*, comme on laisse derrière soi une terre dévastée. Nous avons vécu
un moment historique : le moment où ce qui
n'était jusqu'alors qu'un processus, une lame
de fond souterraine, a été, définitivement
peut-être, promu au rang de politique nationale, une politique dont les orientations ont
été pensées, conçues et théorisées par des
doctrinaires d'un pédantisme qui n'a d'égal
que celui des médecins de Molière. Et c'est
un condensé de ce moment historique que
nous pouvons lire ici.

En effet, Claude Allègre ne s'est pas
contenté de constater que nos élèves n'écoutent plus. Il a bien dit qu'ils ne *veulent* plus
écouter. Malheureusement c'est encore vrai.
Il est très clair que ceux qui ne nous écoutent
plus éprouvent de moins en moins cette inattention comme une incapacité. On voit au
contraire de plus en plus clairement qu'ils
la veulent, cette surdité, et qu'elle ne représente nullement à leurs yeux une défaillance,

puisqu'ils la revendiquent avec l'assurance sans faille de qui se sait inexpugnablement dans son bon droit, et oppose à la persécution de l'enseignement une résistance qui n'est même plus passive.

On s'ingénie à brouiller les pistes en nous répétant jusqu'à la nausée que les élèves ont changé, et qu'il importe d'inscrire enfin cette évidence dans la norme, dans le droit de l'école, dans le contenu et dans la forme de ses enseignements. Mais c'est une lamentable imposture. Car ce que veut un élève en tant qu'élève, c'est précisément écouter un professeur, entendre et recevoir un enseignement digne de ce nom. Que chacun d'entre nous replonge dans ses propres souvenirs de l'enseignement, qu'il les interroge, qu'il cherche, si c'est nécessaire, et il verra que les moments les plus lumineux de ces années sont ceux où, ayant devant soi un professeur, il a su ce que c'était que d'être un élève, d'être libéré de son bavardage, de ne pas vouloir autre chose qu'écouter, entendre et recevoir un enseignement. Il est donc certain que quelque chose a changé, cela ne fait aucun doute, cela crève les yeux. Mais ce ne sont pas les élèves qui ont changé. Ce qui a changé, c'est qu'il n'y a tout simplement plus d'élèves. Voici donc une autre amère vérité qu'il nous faut affronter : *ceux que nous avons devant nous ne sont plus des élèves.* De sorte que j'ai envie de dire : Comment ce changement s'est-il fait ? Il n'est pas tout à fait impossible de le comprendre. Qu'est-ce qui peut aujourd'hui le faire passer pour légitime ? Je crois pouvoir répondre à cette question.

Partons de la situation présente : il n'y a plus d'élèves. Pour commencer, c'est seulement si l'on ose comprendre et reconnaître cela, que l'on comprend en même temps pourquoi la question de leur niveau n'est pas la vraie question. Vraiment, je crois que nous devrons finalement quelque gratitude à notre ancien ministre. Ah ! La question du niveau des élèves, de ce niveau qui baisse, qui ne cesse de baisser, la controverse du niveau, l'éternelle querelle du niveau, nous allons pouvoir lui régler son compte, grâce à lui ! Et d'abord, bien entendu, il est vrai, il est évident que le niveau baisse. Il faut ne pas avoir mis les pieds depuis trente ans dans un collège ou dans un lycée, et même dans un « bon » collège ou dans un « bon » lycée, il faut être resté confiné aux seules statistiques de son laboratoire de recherche, il faut avoir troqué cette amorce de raison qu'est le simple bon sens contre une intelligence *artificielle*, pour affirmer et prétendre démontrer le contraire. Bien sûr que le niveau baisse. Et pourtant, ce n'est pas le problème.

Je veux dire que le niveau des élèves, si bas soit-il, et il l'est au-delà de ce qu'on peut imaginer, n'est pas un problème. Ce n'est pas parce que le niveau de nos élèves est faible qu'il nous est devenu de plus en plus difficile d'enseigner, voire impossible de le faire. Car on peut toujours apprendre quelque chose à un élève en tant que tel, quel que soit son niveau, pourvu seulement qu'on lui ait donné une chance et les moyens de le devenir, pourvu qu'on ait pris la peine et le soin de faire de lui un élève. Or, si le niveau de ceux à qui nous n'arrivons plus à enseigner est devenu ce qu'il est, c'est-à-dire une *absence* de niveau, c'est parce qu'ils ont été empêchés de devenir des élèves et qu'on leur a par là même ôté toute possibilité d'élever leur niveau ; parce qu'on leur a interdit, tout simplement, de s'élever. Voilà pourquoi ils n'écoutent plus. Écouter un enseignement, voilà ce que ne veulent plus, non pas les élèves, mais ceux qui ont été empêchés de l'être. Leur inattention, qu'on voudrait nous faire prendre pour l'effet réjouissant d'une libération volontaire, n'est donc que le résultat désolant de la *mutilation* dont ils ont été les victimes.

Écrasants, les programmes ? Trop chargés, les emplois du temps ? Ces questions se posent bien sûr, mais à condition que l'on ait d'abord pris conscience d'une chose : la déscolarisation de l'institution en est arrivée à un point tel que l'école est aujourd'hui un lieu où il est légitime de tout faire, du sport, des échecs, de l'informatique, du théâtre, du chant, de la danse, tout ce qu'on veut, sauf s'asseoir derrière une table, et écouter un cours. Une enquête historique précise le montrerait aisément : la prolifération démesurée des enseignements dits « optionnels » a joué un rôle préparatoire dans la déscolarisation que je décris ici à son stade terminal. C'est cette prolifération qui a peu à peu fait perdre le sens de la réalité scolaire, jusqu'à ce que s'inscrive plus ou moins consciemment dans l'esprit et dans le comportement des élèves l'idée selon laquelle c'est en fait l'enseignement *lui-même* qui est optionnel, avec son cortège de contraintes devenues *facultatives* : attention, écoute, politesse, assiduité et ponctualité – y compris dans le travail.

On m'accusera certainement de délire pas-
séiste, on me reprochera de prendre un changement de paradigme pédagogique pour une
liquidation de l'enseignement, d'être incapable de m'adapter à de nouveaux élèves, et de
refuser un progrès décisif de la démocratie.
Avant de m'adresser cette accusation capitale,
je voudrais que l'on prenne le temps de relire
la phrase de Claude Allègre dont le souvenir
m'obsède, tant il est vrai que notre ancien
ministre a la confondante inconscience d'y
célébrer littéralement la disparition des élèves, d'y condamner à l'avance ceux qui voudraient encore s'élever, et d'appeler à la mise
à bas de ceux qui voudraient les y aider. Qui
sont-ils en effet, ceux qui ne veulent plus écouter ? Des élèves différents de ceux que nous
étions, de ceux que nous avons connus ? Non,
et nous le lisons en toutes lettres : ce sont des
jeunes. « Les jeunes (et même les très jeunes)
n'en veulent plus. » Mais par quel miracle *en*
voudraient-ils encore, puisqu'on a commencé
par les enfermer dans la prison désormais

consacrée de leur jeunesse et de leur moi, et qu'on leur interdit ainsi, en les identifiant totalement à cette jeunesse qu'ils incarnent, ne serait-ce que de soupçonner qu'ils pourraient aspirer à mûrir ? Ils ne sont pas jeunes, ce sont *des* jeunes. Voilà ce qu'on a fait d'eux, et telle est bien d'ailleurs la seule circonstance atténuante de leur surdité.

Quand l'école avait encore affaire à des élèves, sa mission était de les conduire à penser par eux-mêmes. C'était une ambition très haute, et une tâche infiniment difficile. On lui en fait aujourd'hui le procès. Tout cela ne suscite plus que le rire ou l'indignation. Conduire les élèves à penser par eux-mêmes ? Mais quelle prétention, et pour de si maigres résultats ! Et surtout quel abus : car les jeunes *sont* eux-mêmes. Vis-à-vis des jeunes, l'école a désormais pour seule mission légitime celle d'écarter tous les obstacles qui les empêchent d'être ce qu'ils sont d'ores et déjà si parfaitement. En conséquence de quoi, tout ce qui, dans l'école, entrave sa transformation en vaste terrain de jeux et de divertissement doit être extirpé sans la moindre hésitation, à commencer par cette habitude sénile d'enseigner qui est celle des professeurs. C'est ici que l'on mesure la largeur du gouffre qui nous sépare des partisans de la sacro-sainte réforme. Notre divergence ne part même pas d'un constat commun, qui serait celui de la crise de l'enseignement. Nous partagerions alors une même inquiétude, une même angoisse. Or nos ardents réformateurs ne s'inquiètent nullement : ils jubilent, et voient dans ce qui nous affole le ferment d'un progrès gigantesque, l'aube d'un avenir pédagogique radieux. Et l'on consulte les jeunes : « Qu'est-ce qui vous ennuie à l'école ? Que peut-on faire pour que cela cesse ? » Le plus inattendu, et le plus tragique peut-être, c'est le chemin qui nous a conduits à cette situation.

On parle évidemment beaucoup de la massification de l'école, de l'arrivée massive dans les établissements scolaires de ce qu'on appelle pudiquement un nouveau public. Que pouvons-nous rétrospectivement distinguer dans ce processus ? Au départ, il s'agit de la nécessité qui s'est progressivement imposée, après la Seconde Guerre mondiale, de retenir et de maintenir *dans* l'école une proportion finalement très importante d'enfants que l'institution, *de facto*, avait jusqu'alors précocement écartée. Il n'est pas facile d'analyser la teneur, la nature exacte de la pression qui s'est alors exercée sur l'Éducation nationale. Quelle part a prise alors, dans ce qu'on pourrait appeler la force des choses, la force du droit ? Et de quelle manière faut-il comprendre la légalité ou la *justice* dont on a, en tout cas rétrospectivement, revêtu ce processus ? On considère aujourd'hui qu'il s'agissait de démocratiser l'enseignement, de donner davantage de substance, d'effectivité, à une conquête essentielle de la démocratie moderne : le droit à l'instruction.

Car le droit à l'instruction, en lui-même, n'a pas été instauré en France au lendemain de la Seconde Guerre mondiale. L'instruction, inutile de le rappeler, avait même été rendue obligatoire par la IIIe République. On se serait donc seulement avisé, après la Seconde Guerre mondiale, du fait que bien des familles n'avaient jusqu'alors pas eu les moyens de jouir réellement de ce droit qui leur était formellement reconnu. Il ne suffit pas de dire que chacun dispose du droit de s'élever par l'instruction pour que ce droit soit effectif : il faut avoir les moyens de jouir d'un tel droit. On ne naît pas élève, on le devient. Problème *terrible* pour l'institution scolaire, pour ses normes méritocratiques de sélection, et pour ses gardiens. Cela ne supposait-il pas que l'on mît en œuvre une certaine forme de discrimination positive ? Pouvait-on le faire sans pervertir la justice *dans* l'enseignement, et finalement l'enseignement lui-même ?

Peut-être. Mais il aurait fallu explicitement comprendre, dire, et faire admettre ce qu'on voulait. Une volonté politique de justice et de progrès aurait alors dû explicitement se formuler et s'assumer, qui aurait dû accompagner, organiser, surveiller et conduire une démocratisation réelle de l'enseignement. C'eût été extraordinairement difficile, parce qu'il aurait fallu vraiment reconnaître et définir les handicaps *sociaux* que l'on voulait compenser, en fixer les critères, et déterminer les moyens à mettre en œuvre pour favoriser leur compensation. Quadrature du cercle peut-être, car il aurait fallu en même temps préserver à tout prix un droit fondamental de l'institution elle-même, ce droit que j'appellerais le droit de l'école à *l'échec* scolaire, sans lequel elle ne peut plus être qu'un gigantesque village Potemkine.

Or, que s'est-il produit, sinon l'édification même de ce village Potemkine ? Ce que nous pouvons en effet constater aujourd'hui, c'est qu'un véritable torrent compassionnel a emporté le droit. Toutes les digues ont été rompues. L'école s'est trouvée confrontée de plus en plus radicalement à un chantage moral inouï. Au lieu de reconnaître la capacité des nouveaux venus à répondre aux exigences d'un enseignement digne de ce nom, de les y aider, de leur donner, non pas cette capacité, mais les moyens de l'affirmer, on s'est contenté de reconnaître leur *humanité*. Au lieu de reconnaître en eux les élèves qu'ils avaient le droit de devenir, on a sommé l'école, et les professeurs, de reconnaître en eux la forme *abstraite* de l'humaine condition et de s'incliner devant elle. C'est ainsi que les élèves sont devenus des jeunes, et que l'école a été mise en demeure de cesser de les outrager.

Des élèves, les professeurs étaient en droit d'attendre qu'ils acceptent un code de comportement approprié à ceux qui apprennent : la discipline scolaire. Avec « les jeunes », c'est exclu, et même interdit, puisqu'il n'y a plus qu'à les respecter. Pour finir, on a fait comme si avoir le baccalauréat était un droit imprescriptible de la personne humaine, et par conséquent comme si refuser le baccalauréat, et même, à présent, refuser ne serait-ce qu'une bonne note, était une atteinte criminelle à la dignité des jeunes. Au terme de ce processus d'*humanisation* et de *puérilisation* de l'enseignement, il y a ce que nous constatons à présent : le remplacement d'une démocratisation *de* l'enseignement par l'instauration d'une pseudo-démocratie dans ce qui n'est plus qu'un semblant d'école. Double dénaturation de l'école et de la démocratie.

Les malheureux qui ont précipité un de leurs camarades dans la cage d'escalier de leur collège parce qu'il était un bon élève, c'est-à-dire parce qu'il était *encore* un élève, parce qu'il n'avait pas encore compris qu'il n'avait plus le droit désormais d'en être un, sont le résultat logique, inévitable et atroce de cette folie : le fruit, le seul fruit de cette démence. La décision d'ouvrir les portes de l'école aux interventions de la police, au moment même où l'on proclame à grand renfort de haut-parleur la volonté (encore un slogan) de faire entrer l'école dans le droit ou le droit dans l'école – comment ne pas s'y perdre ? – cette décision n'est qu'un pas de plus accompli dans le sens de la destitution de l'enseignement et de la destruction accélérée de ses institutions.

Ce qui est une fois de plus extraordinaire, c'est que cette décision vient entériner un renoncement définitif à reconnaître et à soutenir le droit de l'école à appliquer et à faire respecter les normes qui lui sont propres. Ce n'est rien d'autre qu'admettre *cela* qu'on prétend refuser, à savoir que rien ne différencie l'école de la rue, et c'est inscrire cette indifférenciation aberrante dans une perversion du droit. On croit faire un cauchemar, mais non : ce n'est que trop réel, on assiste à l'investiture de cela même qu'il faut combattre, la transformation que chacun peut voir s'accomplir sous ses yeux de l'indiscipline en délinquance pure et simple. N'y a-t-il donc personne, plus personne, pour se rendre compte de cette déchéance ? Rien ne sert ensuite de venir nous expliquer que l'on va rétablir et rationaliser la discipline dans les lycées et collèges, et de nous exhiber de nouvelles mesures, puisqu'on a commencé par prouver que l'on ignore le sens même du mot discipline. Il ne peut pas y avoir de discipline à l'école si l'on commence par y interdire l'enseignement des disciplines. Je maintiens que nous en sommes là.

Hélas, je ne crois pas remonter de ces pro-
fondeurs où l'esprit se perd à la surface des
choses en disant maintenant : voici ce qui
s'est accompli en l'espace de quelques dizaines d'années dans l'Éducation nationale. En
faisant sauter un par un tous les moyens que
l'institution donnait aux professeurs pour soutenir leur enseignement en le légitimant, nous
avons symboliquement mis à nu les professeurs, et *condamné* leur effort. Personne ne
peut prendre la mesure de la culpabilité qui
les ronge et les empoisonne aujourd'hui. Ils
essayent d'enseigner ? Ils se sentent coupables d'essayer. Ils ont du mal à enseigner ? Ils
se sentent coupables d'avoir du mal. Ils n'arri-
vent pas à enseigner ? Ils se sentent coupables
de ne pas y arriver. Ils renoncent à enseigner ? Ils se sentent coupables d'y renoncer.
Et les élèves, je l'ai dit, ont été condamnés,
puisqu'on a renoncé à soutenir leur effort
pour s'élever. À cet égard, ce n'est pas tout à
fait un hasard si Claude Allègre, au moment

de nous dire enfin ce que veulent, d'après lui, les « jeunes » qui ne veulent plus écouter, nous révèle qu'ils veulent « inter-réagir ».

Je ne suis pas vraiment sûr d'être de ceux qui se reconnaissent dans l'idée, qui a au moins le mérite de nous faire penser, que la science ne pense pas. Je préfère penser qu'une science qui ne pense pas est une science profondément mutilée, une science qui usurpe son nom, et je suis tout à fait disposé à envisager l'hypothèse selon laquelle ce pourrait bien être le cas de la nôtre, à plus forte raison lorsque je vois mes collègues mathématiciens, par exemple, s'inquiéter de la disparition de la notion même de *démonstration* dans l'enseignement de leur discipline. Quoi qu'il en soit, il y a une chose dont je suis plus sobrement et absolument sûr, c'est qu'il y a un certain nombre de *savants* qui ne pensent pas. Claude Allègre, et quelques-uns de ses plus prestigieux collègues, tout nobélisés qu'ils sont, nous en administrent assez souvent la triste preuve. Je ne devrais peut-être pas perdre mon temps à essayer de comprendre ce que notre ministre a voulu dire au sujet de ce que veulent les « jeunes », car il est impossible de comprendre ce qui n'a aucun sens, et qui trahit en l'occurrence son absence de signification par... un barbarisme : « Ils veulent *inter-réagir.* »

Sans doute induit en erreur par quelque pédagogue, Claude Allègre aura confondu les élèves avec on ne sait quelles particules prises dans on ne sait quel champ de force. C'est ici l'occasion de poser ne serait-ce qu'une question. Car on pourra toujours nous rétorquer qu'il existe bel et bien des *expériences* pédagogiques, des collèges et des lycées pilotes, et qu'on peut y observer beaucoup de choses tout à fait surprenantes. C'est bien possible, mais je me demande toujours si l'on réfléchit vraiment à ce qu'on fait lorsqu'on procède ainsi. Les écoles ne poussent pas comme des champignons. Précisément parce que l'école est une institution, je me demande s'il est légitime de chercher à déterminer ce qu'il lui appartient de produire ou d'autoriser à partir du modèle de ce qu'on peut forcer la nature à produire sous les contraintes expérimentales du laboratoire.

Mais on m'accusera de mauvaise foi. Un spécialiste mondialement reconnu des sciences de la terre ne peut pas avoir eu à l'esprit une telle confusion des genres. C'est bien entendu à « l'interactivité », au sens informatique du terme, que pensait notre ministre. Est-ce mieux ? Je lis dans le Petit Robert cette édifiante définition de l'interactivité ainsi entendue : « Activité de dialogue entre l'utilisateur d'un système informatique et la machine, *par l'intermédiaire d'un écran.* » Je souligne, et je ne crois pas nécessaire d'en dire plus : cela se passe de commentaire. Une fois encore, la nature de l'institution, dont la connaissance seule permet de définir adéquatement ce que c'est qu'un élève, est sidéralement ignorée. En revanche, il faut s'attarder un instant sur ce que *fait* Claude Allègre en disant ce qu'il dit, car son barbarisme serait simplement drôle s'il ne traduisait la montée d'une barbarie qui, sous ses dehors progressistes et compatissants, est bien plus qu'inquiétante.

Pourquoi ne sommes-nous pas capables de reconnaître cette barbarie, qui n'a certes pas été inoculée dans l'enseignement par Claude Allègre, mais qu'il a chevauchée, éperonnée avec un enthousiasme effarant ? Pourquoi sommes-nous incapables de la reconnaître en nous, alors même que nous prétendons ne connaître qu'elle, alors même que nous nous environs de vigilance et de lucidité ? Pourquoi, sinon parce que la certitude de notre légitimité démocratique nous aveugle et nous donne l'illusion d'en être à jamais préservés. Aussi faut-il le dire sans ambages : ce que disait notre ministre n'est pas seulement d'une prodigieuse inanité sonore, mais aussi et malheureusement détestable. Car il est détestable de pervertir le besoin de direction et d'orientation propre à la jeunesse en raison de la dépendance *réelle* qui la constitue, au lieu d'en assumer aussi scrupuleusement que possible la charge. C'est cette dépendance réelle de la jeunesse qu'un enseignement digne de ce nom a pour vocation de résorber, *en commençant par la reconnaître*, puis en s'appuyant sur les dispositions naturellement présentes en chacun, dont le développement doit être protégé, soutenu et favorisé par l'institution.

Ce que les propos de Claude Allègre renvoient ainsi au visage de chacun d'entre nous, ce n'est même plus quelque chose de l'ordre d'une démission, le refus d'assumer le devoir des adultes que nous sommes à l'égard de ceux qui ne le sont pas encore, de les aider à le devenir, c'est *l'interdiction* formelle d'assumer ce devoir érigée en politique. Et ce qui est plus détestable encore, c'est d'imputer cette interdiction, en invoquant ce que veulent prétendument les jeunes, à ceux-là mêmes qui, en réalité, qu'ils en soient conscients ou non, réclament bel et bien à cor et à cri que nous assumions ce devoir envers eux. Dans l'agressivité sans fard qui répond si souvent désormais à notre enseignement, comment ne percevrions-nous pas en effet le terrible ressentiment de ces « jeunes » confronté à l'amputation de leurs aspirations les plus profondes ? Il faut les voir se recroqueviller sur le totem narcissique et pathétique de leurs téléphones portables pour se faire une idée de l'étendue du désastre.

Qu'est-ce que l'école publique, si l'on veut encore lui reconnaître une mission publique, c'est-à-dire politique ? L'école publique est l'institution où doit être progressivement assurée la rencontre des esprits les plus dépendants – les élèves –, avec les esprits les plus indépendants, qui sont les plus grands esprits, c'est-à-dire avec les *œuvres* des plus grands esprits. Tel est par conséquent le rôle des professeurs, et tel est aussi le fondement ultime de leur autorité. Les professeurs ne sont à cet égard pas autre chose que des élèves plus avancés que ceux qu'ils ont devant eux, et l'enseignement peut alors être défini comme leur acte commun. Voilà donc ce qui n'aura plus *lieu* d'être.

À ceux qui, comme moi, tiennent ce discours, on reproche parfois de se satisfaire d'une critique facile, et stérile, puisqu'elle ne débouche sur aucune solution. Je répondrai deux choses. D'une part, cette critique n'est pas facile du tout. Il est même très difficile de formuler clairement un diagnostic lucide dans le climat de chasse aux sorcières qui règne aujourd'hui. D'autre part, nous ne sommes pas des prestidigitateurs pour sortir de notre chapeau, dans l'isolement le plus complet, une ribambelle de solutions prêtes à l'emploi. Un des aspects les plus profonds de la crise de légitimité qui frappe l'enseignement est précisément son déni, de la part de ceux qui nous accusent, nous, d'immobilisme. Avant d'envisager les solutions possibles, ou plutôt, pour que des possibilités de solution commencent à apparaître, il faudrait qu'un accord suffisamment large puisse se dessiner quant au diagnostic. Alors seulement notre regard serait porté par un tout autre horizon, et de nouvelles perspectives concrètes commenceraient à se profiler. Nous en sommes loin.

Pour l'heure, assez de faux-semblants ! Car tout le monde n'a pas la franchise de notre ancien ministre : on prétend ne viser que la forme obsolète du cours magistral, on se gausse des professeurs qui se cramponnent à la vieillerie de la dissertation, comme si la dissertation était l'horizon indépassable de la pédagogie, en ajoutant d'ailleurs, pour leur donner un os à ronger, que la dissertation n'est pas menacée. Mais les partisans de la réforme, en projetant ainsi sur nous *leur* obsession de la méthode, ont trop beau jeu dans cette polémique biaisée. Nous nous sommes laissé prendre au piège d'une controverse fallacieuse, et je sais bien pourquoi : quand tout se dérobe, quand la mer se retire entraînant tout vers le large, comment ne pas désespérément s'accrocher à ce qui surnage encore ? En vain bien sûr, et l'on y laisse ses dernières forces avant d'être submergé. Est-ce si drôle que cela ? Pourquoi les professeurs ont-ils été transformés en cette petite secte, tantôt risible, tantôt exaspérante, d'adorateurs d'idoles, sinon parce qu'on leur a déjà tout pris ? Privés de l'autorité qui leur permettait de nourrir leur enseignement, les professeurs n'ont plus entre les mains que des formes vides, et qui tournent forcément à vide. Comment discuter sereinement des questions de méthode dans un tel contexte ? C'est la raison pour laquelle, au risque de passer pour fétichistes, nous voulons les maintenir à tout prix, le plus longtemps possible, ces formes d'enseignement ; non par attachement à une méthode, mais *par principe*, parce que tant qu'elles existent, elles constituent la trace, bientôt complètement fossile, du fait qu'il y eut jadis une possibilité d'enseigner quelque chose à des élèves dans ce pays. Elles témoignent de ce qui n'est plus qu'un souvenir dévoré par un présent aveugle.

Cette trahison de l'esprit, de la jeunesse et de la maturité, nous en avons pourtant des exemples historiques récents. Celui auquel je pense, on l'aura compris, c'est la folie de la révolution culturelle chinoise. Qu'on n'y voie pas d'exagération : c'est une révolution analogue qui est en train de se produire. Au moment où Claude Allègre encourageait les élèves à faire feu sur les états-majors professoraux du confucianisme disciplinaire, notre ministère lançait dans les établissements les gardes rouges de la démocratie scolaire. Ils portent un nom, les soldats de cette vague du futur, ils s'appellent les « emplois jeune ». Qu'ils exercent des fonctions pédagogiques de soutien ou de pur encadrement, ces malheureux, loin de soutenir les élèves en tant que tels, parce qu'ils sont en fait à peine plus formés que ces derniers, parce qu'ils sont *proches* d'eux, comme on dit si bien sans se rendre compte de ce que l'on dit, ces malheureux participent en réalité, à leur corps défendant, à la destitution totale de l'autorité des professeurs, ou de ce qu'il en reste. Ils sont l'image même de ce que seront demain tous les professeurs lorsqu'ils auront tous été institués, si l'on peut dire, conformément aux normes de recrutement et de formation qui sont en train d'être mises en vigueur. Puisqu'il est entendu qu'être jeune est désormais un titre, pourquoi ne serait-ce pas aussi bien un emploi ? C'est ce qu'on ose appeler « la professionnalisation du métier d'enseignant ».

Quels efforts de maîtrise de soi ne faut-il pas s'infliger pour ne pas hurler de rage et de désespoir sous ce déluge de gifles, de camouflets, d'insultes, que réserve aux professeurs chacun des fantastiques slogans de notre ministère ! Mais quoi ? Être professeur n'était donc pas un métier ? Pas une profession ? Ceux qui étaient jusqu'ici professeurs n'avaient donc aucune qualification ? Aucune compétence professionnelle ? Un professionnel, je suppose, est quelqu'un qui sait faire quelque chose, au sens où il est un spécialiste de cette chose, et non un amateur occasionnel. S'il faut professionnaliser le métier d'enseignant, c'est donc que les professeurs, jusqu'ici, ne savaient pas faire quelque chose qu'ils sont censés faire, savoir faire, c'est-à-dire, bien entendu, enseigner. Mais enseigner *quoi* ? Peu importe : mais ils doivent savoir l'enseigner. Une fois encore, tout est dit.

Qu'ont donc appris jusqu'ici les professeurs, au lieu d'apprendre à enseigner, et qui les empêche, veut-on nous faire croire, d'enseigner ? Les professeurs d'histoire ont appris et savent de l'histoire, les professeurs de mathématiques ont appris et savent des mathématiques, les professeurs de physique de la physique, et il en va ainsi dans toutes les disciplines. Eh bien, ce scandale doit cesser, et il cessera. Demain, aujourd'hui hélas pour ceux qui sont déjà victimes de la *rééducation nationale*, les professionnels de l'enseignement ne sauront rien, mais ils sauront l'enseigner, et leurs élèves n'apprendront rien, mais ils l'auront appris. Et ce sera formidable, car tous les clignotants seront au vert, et ce sera le meilleur des mondes. Il fallait y penser : comment assurer la réussite infaillible et totale d'un enseignement enfin interdiscipinaire, tout en résorbant la distance insultante qui sépare les professeurs de leurs élèves ? Mais c'est enfantin : il suffit de vider l'enseignement de toute substance. *Pourquoi enseigner quelque chose plutôt que rien ?* Telle est l'insondable question métaphysique de la pédagogie moderne.

Je dis à ceux qui verront une outrance dans mon propos qu'ils se trompent, qu'ils veulent, de bonne foi sans doute, s'immuniser contre une réalité que je décris au contraire telle qu'elle est. Prenons un exemple précis : lors-

que l'on met en place dans les classes de première, et bientôt de terminale, une réforme
dont la raison avouée est d'introduire une ini-
tiation à la recherche et à ses méthodes dans
l'enseignement secondaire, il faut se demander ce que cela signifie. Or il ne suffit pas de
remarquer qu'il est déraisonnable de prétendre initier à la recherche des élèves qui, en
nombre croissant, semblent arriver en fin de
scolarité sans avoir appris à lire et à écrire,
car c'est là une évidence. Il faut plutôt s'inter-
roger sur l'opinion qui, dans la réforme elle-
même, autorise à volatiliser complètement
cette réalité pourtant criante, et à vider par
contre-coup de son sens la notion même de
recherche intellectuelle, sans que personne
s'en émeuve le moins du monde. C'est bien,
et ce ne peut être que l'opinion, apparemment
si réconfortante, selon laquelle il n'y a pas à
proprement parler de connaissance à transmettre, ni par conséquent à apprendre, mais
seulement des « savoirs » à construire conformément à la libre et égale idiosyncrasie de
chacun.

Cet avènement des travaux dits « person-
nels » marque donc la grande victoire de la
pédagogie sur l'école, et bien plus encore. Ce
grand Midi de l'humanité scelle la fin de
l'erreur, ou plutôt de l'imposture la plus longue de notre histoire. Les professeurs, disent
en effet les réformateurs, sont les prêtres d'un

culte auquel plus personne ne croit : celui de la vérité. Pourquoi les élèves se laisseraient-ils encore immoler sans résistance à ce Moloch ? Ils bavardent ? Mais non : les esprits libres font un vacarme de tous les diables. Réjouissons-nous avec eux plutôt que de nous lamenter, délogeons enfin les professeurs de leur fallacieuse maîtrise, et chassons-les de leurs arrogantes estrades. Que leur rôle se réduise désormais plus modestement à autoriser l'émancipation de la subjectivité et de l'arbitraire *légitime* des élèves. Hélas, le relativisme extrême ainsi promu ne transforme pas seulement l'école en marché captif de la nouvelle économie planétaire. Il ne peut préparer à plus ou moins long terme autre chose que le triomphe de la déraison, de la brutalité, de la haine travestie en idéalisme, de la superstition la plus obtuse et la plus stupide, sur des âmes que l'école aura méthodiquement désarmées, et dégoûtées du néant auquel elle les aura condamnées. Comment ne serait-on pas affreusement inquiet pour cette démocratie qu'on nous accuse de détester, alors que nous voyons ses partisans les plus acharnés préparer dans l'allégresse sa reddition à l'ennemi, en faisant de l'école le creuset de tous les fanatismes à venir ?

Je me rends compte à présent combien j'avais tort, combien j'étais encore optimiste, en appelant « barbarie » cette haine de l'enseignement qui s'empare de l'école. Car la barbarie n'est au fond que la simple *ignorance* des principes de la civilisation, ignorance qui peut donc être éclairée et instruite. Tout autres sont le rejet, la destruction et *l'anéantissement* de ces principes, surgissant du sein même de la civilisation. Cela porte un nom. Cela s'appelle du nihilisme. On me dira peut-être que c'est un bien grand mot, le nihilisme, une idée, une abstraction, un épouvantail à moineaux, bref, quelque chose qui n'existe pas : un leurre. Eh bien, c'est un fait, et nous y sommes. Qu'on m'autorise un dernier détour pour mieux le montrer si c'est encore nécessaire.

Je fais partie de ces professeurs qu'il faudrait fusiller si l'on ne trouvait pas plus raisonnable et plus sûr d'instaurer les conditions qui assureront, sans heurt, on l'espère, leur extinction. Leur mort paraîtra ainsi naturelle. Les temps changent, n'est-ce pas ? C'est la vie et le destin normal de toutes les espèces vivantes, et c'est bien commode. Autrement dit, je suis de ceux qui mesurent encore leur compétence à l'aune des connaissances objectives qu'ils dominent, en l'occurrence à l'aune de la culture philosophique que je domine. Je ne sais pas si ceux qui ne sont pas professeurs réalisent à quel point cette estimation de soi fragilise celui qui s'y soumet. Elle n'incite pas à la vantardise, et moins encore au triomphalisme. D'un autre côté, elle est un remarquable rempart contre la suffisance, et par là même une incitation merveilleuse à l'amélioration de soi. Il s'agit donc de la seule chose que l'Éducation nationale devrait protéger, entretenir, promouvoir, encourager, et récompenser, chez les professeurs comme chez les élèves.

Mais je voudrais surtout attirer l'attention sur ceci : devant sa classe, devant ses élèves, le professeur qui se comprend ainsi incarne et manifeste à la fois l'insuffisance qui est la sienne et les ressources ainsi que l'effort qui le constituent pour la surmonter. Il lutte devant ses élèves avec une connaissance qui se dérobe et qu'il ne domine jamais, même dans le meilleur des cas, que partiellement. C'est une situation qui l'expose à une *immense* vulnérabilité. Il est ainsi, il doit et il veut être ainsi celui qui s'efforce de permettre à ses élèves d'accomplir avec lui un effort analogue. Et c'est ainsi qu'il les instruit et les éduque, par l'effet en quelque sorte secondaire de cette instruction. Inutile de dire qu'une telle entreprise n'est pas, n'a jamais été, et *ne sera jamais* gagnée d'avance, car aucune méthode ne saurait en garantir mécaniquement le succès. Aussi n'y a-t-il pas d'âge d'or de l'enseignement, à moins que nous n'en soyons réduits à regarder comme un âge d'or les époques où enseigner fut considéré comme légitime.

Dans cet effort ou dans cette espérance que représente l'enseignement, et qui se brise aujourd'hui contre un mur d'indifférence, de mépris ou d'hostilité, je prétends qu'il est tout simplement faux de dire que le professeur nage seulement à contre-courant, et qu'il exige de ses élèves le même effort, la même *violence* en définitive contre-nature. Si tel était le cas, l'enseignement serait alors purement et simplement répressif, et le professeur serait seulement un homme autorisé à se venger sur ses élèves de la violence qu'il s'est d'abord infligée, ou qu'on lui a infligée. Tout homme recèle à la racine même de son humanité une disposition à apprendre, une puissance naturelle de comprendre, un désir naturel d'intelligence qui ne demande pas autre chose que de s'affirmer. Mais si essentielle à notre humanité que soit cette disposition, cette puissance, ou ce désir, il faut aussi en reconnaître la très grande fragilité. Cette disposition doit surmonter bien des obstacles, franchir bien des écueils, pour se développer, pour s'affirmer, pour parvenir à la floraison dont elle est capable et qu'elle désire. Éduquer et instruire, ce n'est pas implanter cette disposition de force dans une nature qui lui serait intrinsèquement rétive, c'est savoir reconnaître sa présence et lui apporter le soin qu'elle réclame. C'est justement pourquoi cette disposition naturelle doit être instituée et soutenue par l'institution, et non assassinée par elle. C'est aussi pourquoi le rôle fondamental de l'institution est de garantir l'autorité des professeurs, d'une part en leur assurant les conditions d'une formation disciplinaire d'un haut niveau, d'autre part en assurant les conditions du respect de leur autorité par les élèves. Faute de quoi, on abandonne à la fois les professeurs *et* les élèves.

Le professeur de philosophie qui s'est récemment déshabillé devant sa classe était sans doute un âne, mais l'institution qui l'avait réduit à ce dénuement n'avait sans doute guère le droit de s'en indigner. Demandez à des élèves ce que c'est à leurs yeux que l'autorité : ils vous répondront tous, y compris les moins démunis, qu'il y a des gens qui en ont et d'autres qui n'en ont pas, et particulièrement les professeurs. Comment leur en vouloir si on les a réduits à reproduire de tels clichés ? Pourtant, il n'y a pas, d'un côté, les professeurs qui ont de l'autorité, et de l'autre ceux qui n'en ont pas. Il faut en finir avec cette escroquerie paresseuse et inepte qui confond l'enseignement avec un exercice de dressage de fauves, par ailleurs si humains. Il n'y a plus aujourd'hui que des professeurs destitués de toute autorité légitime par l'institution elle-même et par celui qui fut son premier serviteur : des professeurs dont tous les points d'appui se dérobent sous leurs pieds. On ne peut pas imaginer la frustration et l'humiliation que cela suscite chez eux, ni la perversion que cela encourage, la perversion que cela rend, en réalité, *obligatoire* : il faut désormais passer son temps à exiger des élèves une attention qu'ils n'ont plus aucune raison d'accorder. Plus exactement, il faut maintenant demander aux élèves la *permission* de leur apprendre quelque chose, et bien entendu, puisque cela signifie qu'on leur a interdit d'être des élèves et qu'ils ne le sont par conséquent plus, ils la refusent. C'est le monde à l'envers, la folie qui prétend se faire passer pour le bon sens. Mais n'est-ce pas le propre de la folie ?

Inconscience ou cynisme : le seul avenir que l'on puisse présager d'une telle évolution, d'une telle dérive, est au fond connu de tous. Une ségrégation de plus en plus rigide entre les quelques établissements d'enseignement qui resteront dignes de porter ce nom, et ceux dont le nom ne sera plus que signe d'imposture. Une sélection de plus en plus impitoyable et inique, dont les seuls critères seront sociaux, économiques et financiers. Dans un avenir à peine moins proche, la destruction de l'enseignement public et sa privatisation. Et dans un avenir à peine plus incertain, la violence, non pas symbolique, mais très réelle, et à grande échelle, qui est le seul fruit du nihilisme. Ceux qui encouragent les jeunes à traiter leurs professeurs en chiens crevés, à libérer leur élan vital du poids oppressif d'un passé vermoulu devraient le savoir : c'est l'appel caractéristique du fascisme, et je suis accablé de voir qu'au moment même où l'on pense lui tourner le dos à jamais, on lui ouvre toutes grandes les portes de l'avenir.

« On ne connaît point l'enfance », écrivit un jour Rousseau avec sa fulgurante éloquence. Et il avait sans doute alors raison. Il reprochait à l'éducation traditionnelle de chercher toujours l'homme dans l'enfant, « sans penser à ce qu'il est avant que d'être homme ». Reproche fondé peut-être, mais Rousseau ignorait, en écrivant cela, qu'il creusait lui-même la tombe de l'enseignement. Rendus aveugles par notre fureur compassionnelle, *et à l'école de Jean-Jacques*, nous avons purement et simplement renoncé à voir dans l'enfant l'homme qu'il doit devenir. Nous avons méconnu l'homme *et* l'enfant, et nous risquons cette fois d'en payer un prix exorbitant.

Il y a, dans le *Livre de la connaissance* de Maïmonide, cet énigmatique et immense docteur de la loi juive, qui figure aussi parmi le très petit nombre des philosophes les plus grands, plusieurs chapitres consacrés à l'enseignement et à la déontologie de la vie scolaire, dont un passage est aujourd'hui, plus que jamais, bouleversant. Nous y lisons qu'un homme dont le père et le maître ont été emmenés en captivité doit racheter *d'abord* son maître, et ne payer *qu'ensuite* la rançon de son père. Dans la mesure où cette règle apparemment insensée peut enseigner quelque chose à tout homme en tant qu'homme, qu'il soit juif ou non, aujourd'hui comme hier, il s'agit d'une réflexion sur ce que c'est qu'être père. La paternité, nous est-il ainsi suggéré, ne s'avère pas dans le simple accomplissement d'une pure fonction biologique d'engendrement. Le père au sens véritable du terme est celui qui enseigne. Autrement dit, celui qui engendre au sens authentiquement humain du terme est celui qui enseigne. Le père d'un enfant doit donc faire de lui un élève. Soit qu'il lui enseigne lui-même ce qu'il doit apprendre, soit, s'il ne le peut pas – et quel père le pourrait ? – qu'il lui permette d'apprendre auprès d'un maître.

Chacun sait que nous ne sommes plus au Moyen Âge et s'en félicite. Notre enseignement doit faire l'économie du soutien que pouvait donner aux hommes la Révélation dans leur désir de s'élever, et nous ne visons plus à introduire nos élèves dans la vie du monde futur. La tâche qui nous échoit n'est cependant pas mince, puisqu'il nous reste à leur donner les moyens d'ouvrir les yeux sur ce monde-ci. Je doute que nous puissions y parvenir en nous passant de toute autorité, en congédiant stupidement les auteurs et les œuvres qui permettent à chacun d'entre nous d'échapper à la confusion, carcérale et délétère, du monde et du présent. La modernité, si elle ne veut pas succomber au vertige nihiliste de son auto-engendrement, doit apprendre à voir dans le passé pré-moderne autre chose que de rares et maladroites anticipations de sa propre sagesse, noyées dans un océan d'erreurs et de crimes. Faute de cet arrachement à la puissance hypnotique du présent, elle ne sera qu'un laboratoire planétaire de l'inhumain.

Ainsi les élèves de l'école du XXIe siècle, se trouvant d'aventure confrontés à la triste situation évoquée par Maïmonide, ne rachèteront sans doute *ni* leur professeur, *ni* leur père. Et le pire, c'est qu'on ne pourra pas tout à fait leur donner tort.

CATALOGUE LIBRIO

CLASSIQUES

LITTÉRATURE

Alphonse Allais
L'affaire Blaireau - n°43
À l'œil - n°50

Richard Bach
Jonathan Livingston le goéland - n°2
Le messie récalcitrant - n°315

Pierre Benoit
Le soleil de minuit - n°60

Nina Berberova
L'accompagnatrice - n°198

Georges Bernanos
Un crime - n°194
Un mauvais rêve - n°247

Patrick Besson
Lettre à un ami perdu - n°218

André Beucler
Gueule d'amour - n°53

Calixthe Beyala
C'est le soleil qui m'a brûlée - n°165

Alphonse Boudard
Une bonne affaire - n°99
Outrage aux mœurs - n°136

Yveline Brière
Le livre de la sagesse - n°327

Serge Brussolo
Soleil de soufre - n°291

Francis Carco
Rien qu'une femme - n°71

Muriel Cerf
Amérindiennes - n°95

Jean-Pierre Chabrol
Contes à mi-voix:
- La soupe de la mamée - n°55
- La rencontre de Clotilde - n°63

Georges-Olivier Châteaureynaud
Le jardin dans l'île - n°144

Andrée Chedid
Le sixième jour - n°47
L'enfant multiple - n°107
Le sommeil délivré - n°153
L'autre - n°203
L'artiste - n°281
La maison sans racines - n°350

Bernard Clavel
Tiennot - n°35
L'homme du Labrador - n°118
Contes et légendes du Bordelais - n°224

Jean Cocteau
Orphée - n°75

Colette
Le blé en herbe - n°7
La fin de Chéri - n°15
L'entrave - n°41

Raphaël Confiant
Chimères d'En-Ville - n°240

Pierre Dac
Dico franco-loufoque - n°128

Pierre Dac et Louis Rognoni
Bons baisers de partout:
- L'opération Tupeutla (1) - n°275
- L'opération Tupeutla (2) - n°292
- L'opération Tupeutla (3) - n°326

La découverte des Indiens (1492-1550) - n°303

Philippe Delerm
L'envol - n°280

Virginie Despentes
Mordre au travers - n°308 *(pour lecteurs avertis)*

André Dhôtel
Le pays où l'on n'arrive jamais - n°276

Les dinosaures (5 nouvelles de I. Asimov à R. Silverberg)
Anthologie présentée par Serge Lehman - n°328

Philippe Djian
Crocodiles - n°10

Les droits de l'homme
Anthologie présentée par Jean-Jacques Gandini - n°250

Richard Paul Evans
Le coffret de Noël - n°251

Frison-Roche
Premier de cordée, 2 vol. - n°148 et 149

Jean-Jacques Gandini
Le procès Papon - n°314

Khalil Gibran
Le Prophète - n°185

Albrecht Goes
Jusqu'à l'aube - n°140

Sacha Guitry
Bloompott - n°204

Gulliver
- Dire le monde - n°239
- Musique! - n°269
- World Fiction - n°285

POLICIERS

John Buchan
Les 39 marches - n° 96

Leslie Charteris
Le Saint :
- Le Saint entre en scène - n° 141
- Le policier fantôme - n° 158
- En petites coupures - n° 174
- Impôt sur le crime - n° 195
- Par ici la monnaie ! - n° 231

La dimension policière.
Une anthologie présentée par Roger Martin
- 9 nouvelles de Hérodote à Vautrin - n° 349

Arthur Conan Doyle
Sherlock Holmes :
- La bande mouchetée - n° 5
- Le rituel des Musgrave - n° 34
- La cycliste solitaire - n° 51
- Une étude en rouge - n° 69
- Les six Napoléons - n° 84
- Le chien des Baskerville - n° 119
- Un scandale en Bohême - n° 138
- Le signe des Quatre - n° 162
- Le diadème de Béryls - n° 202

- Le problème final - n° 229
- Les hommes dansants - n° 283

Gaston Leroux
Le fauteuil hanté - n° 126

Archange Morelli
Le vicaire :
- Les yeux de sainte Lucie - n° 344

Ellery Queen
Le char de Phaéton - n° 16
La course au trésor - n° 80
La mort de Don Juan - n° 228

Jean Ray
Harry Dickson :
- Le châtiment des Foyle - n° 38
- Les étoiles de la mort - n° 56
- Le fauteuil 27 - n° 72
- La terrible nuit du zoo - n° 89
- Le temple de fer - n° 115
- Le lit du diable - n° 133
- L'étrange lueur verte - n° 154
- La bande de l'Araignée - n° 170
- Les Illustres Fils du Zodiaque - n° 190
- L'île de la terreur - n° 230

LIBRIO NOIR

Librio

Le livre à 10 ^{F}

427

PCA– 44400 Rezé
Achevé d'imprimer en Europe
à Pössneck (Thuringe, Allemagne)
en juillet 2000 pour le compte de E.J.L.
84, rue de Grenelle 75007 Paris
Dépôt légal juillet 2000

Diffusion France et étranger : Flammarion